中国科学院院士、国家自然科学奖获得者 张景中 领衔创作

天梦奇旅 第六卷

小学数学实验漫画版

张景中　张 矩　黄子睿 / 著

科学普及出版社
·北 京·

图书在版编目（CIP）数据

天梦奇旅．第六卷 / 张景中，张矩，黄子睿著．— 北京：科学普及出版社，2017.1

（小学数学实验：漫画版）

ISBN 978-7-110-09349-8

Ⅰ．① 天… Ⅱ．① 张… ② 张… ③ 黄… Ⅲ．① 小学数学课 – 教学参考资料 Ⅳ．① G624.503

中国版本图书馆 CIP 数据核字 (2016) 第 244835 号

策划编辑：杨虚杰

责任编辑：汪晓雅

装帧设计：犀烛书局

责任校对：杨京华

责任印刷：马宇晨

出　　版：科学普及出版社

发　　行：中国科学技术出版社发行部

地　　址：北京市海淀区中关村南大街 16 号

邮　　编：100081

发行电话：010-63583170

传　　真：010-63581271

网　　址：http://cspbooks.com.cn

开　　本：787mm × 1092mm 1/32

字　　数：100 千字

印　　张：5.625

版　　次：2017 年 1 月第 1 版

印　　次：2017 年 1 月第 1 次印刷

印　　刷：北京科信印刷有限公司

书　　号：ISBN 978-7-110-09349-8 / G · 3987

定　　价：19.80 元

关于作者的那些事

张景中爷爷年轻的时候喜欢写诗，也喜欢做数学题。后来题越来越难，20年前题就难到特别不好做的时候了，张爷爷就成了中国科学院院士。可是张爷爷还喜欢写书给小朋友看，比如《数学传奇》《漫话数学》《数学游戏的故事》《少年数学实验》。

张矩叔叔小时候做不好张爷爷（那个时候叫张叔叔）出的题，所以到美国去念了计算机科学的博士学位。现在在中国科学院重庆院守着一万多个核的超级计算机（反正就是很厉害）做天气预报跟基因分析计算的时候补做数学题。张矩叔叔特别喜欢听人家讲故事。

黄子睿姐姐小时候喜欢跳舞、喜欢听故事、喜欢讲故事、喜欢过家家。现在长大了学会了编故事，还喜欢找其他哥哥姐姐一起编故事。

葛良叔叔小时候没有上过课外美术班，自己就喜欢画画。后来长大了就给小朋友做动画片，做过《熊猫晶晶》《洛克王国》的原画指导，还制作了《熊小米》给特别小的孩子看。现在领着好多哥哥姐姐给大家做漫画。

关于内容

慧之元神千百年间都附身在有灵性的物体身上，回答主人的问题。最近风华小学三年级懒癌学生夏小梦的生活可不平静：家里8个月大的弟弟突然开口叫他“主人”；新来的数学老师帅气又神秘；还有学校后山古堡，究竟藏着什么？

夏小梦在弟弟和朋友的帮助陪伴下，不仅在探险中提高了数学成绩，还学会了爱与责任。

序

《少年数学实验》完成以后，张景中院士一度雄心勃勃着手准备一本《小学数学实验》，可惜因事务繁冗未能一鼓作气完成。张矩看到已完成部分，虽然按张景中既有著作风格不够独立成书，然而参照国外数学漫画的形式，足够出版五六本小读物了。张景中从事基础教育科普工作30余年，深感青年人的参与对于科普工作十分珍贵与重要，探索漫画科普创作之路这一理念也得到了张院士的积极支持。因此，黄子睿在重庆邮电大学征召了十几位爱好写作的本科大学生，绝大部分是理科学生。他们把故事编得可读性强，努力揣摩小弟弟、小妹妹的兴趣所在。葛良从事动漫工作多年，近年涉足幼教动漫，对高年级教育动漫开发的挑战有深刻理解。托国家近年大力发展动漫产业的福，葛良得以找到一批年轻漫画工作者参与我们的工作。作为创作方式的一个实验，我们尽可能在每个部分体现多名写作人员与多名漫画创作人员的合作。筚路蓝缕，举步不易，然终成果实，不惧尚有瑕疵，亦呈现给读者，以求指正。企望团队从此出发，日夜磨炼，修正不足，不断成熟。

张 矩

2016 年 夏

目录

主要人物介绍

易佰分：

小梦班上的学霸，胜负心极强，经常引起他人的反感。

布慧庞：

小梦的同学，吃货一枚，小梦的好朋友，为人憨厚，懂事善良。

姚爱国：

小梦班的班长，一个中二病的热血直男。

夏小梦：

本书主角，小学三年级学生，夏小天的姐姐，拥有酷酷的性格。

美琪：

小梦班的班花，家庭富裕，受班上男生欢迎，爱耍小性子，非常自恋。

李斯特：

小梦学校的数学教授，头脑灵活，学识丰富，外表俊朗，为人自信，受全校师生喜爱。

迪卡卡：

小梦学校校长，原是全球排名第一的拉弗儿大学的数学系高级教授，为人睿智低调。

张玲：

小梦班班主任，职业女性，循规蹈矩，服从上级爱护学生。有更年期轻微症状，易被激怒。

夏小天：

夏小梦的弟弟，八个月大。外表看似呆萌，实则是 IQ 超过 200 的天才宝宝，经常黏着姐姐夏小梦。

第一话 众神附体

易佰分，那你再试试能否将这颗石子吹起？

呵哈！

……
—!
怎么你无法被附体？
看来，弱者不配拥有神之力量。吾乃被神选中的孩子。

你说谁是弱者！
你~~~啊！
……
咦？你不是风后吗？怎么也不能飞呢？
少瞧不起人！

易佰分！

可恶！居然说我没用！

啊！为什么都要和我作对！

算了，来不及了。慧之元神在等着我们，我们先进去！
也不知道易佰分他怎么样了……
凭我神之力量可以抵挡一切，救出小天包在我身上！

咦？
咦，我的手机不见了？
哼，遭报应了吧！
唉，我的珍藏版游戏卡也不见了！什么情况！
出来办大事儿，你还带游戏卡？

哎呀！讨厌！
??
啊！我裤子是被别人扒下来的！美琪你不要误会我啊！

啊哈哈哈哈哈！
谁？！
姚爱国，你这个只会用蛮力的傻大个，你倒是抓住我啊！

你找打！
哎呀！你们别闹了！！

易佰分，这么快的速度，难道是风神？
Why not?刚才我跑着跑着，速度就越来越快了。
好样的！
这样，我们的力量又增强了。
我们出发吧！

第二话 古堡寻踪

美琪，我会保护你的！
好疼，你握疼我了！
啊，抱歉抱歉，这力量我还控制不好！

啪！
哇!!

美琪小姐，请。
谢谢你，易佰分。
切！
易佰分，把这条鱼给我先烤烤呗！
你怎么又饿了！

嘿嘿……
大家小心点，别忘了我们上次在这里进入了幻境！

这上面是?
逐鹿之战?

啊！天啊！看这边！
麻雀公主的画像！南瓜车！还有这些，奇怪的海藻！
嗯，我们之前就是在这甬道里出现的幻觉，没错！

不管这些了，先进到古堡内室再说。

我们先分头行动查探这里的情况，我跟美琪去楼梯上看看有什么情况。
那里有一个窟窿，难道什么东西掉下去了？
刚才的事……
别跟着我，胆小鬼。
你！

小梦！这上面什么都没有！
咦？那为什么要在这儿修台阶呢？

这怎么有块发抖的镜子？
嘿嘿，是长发鬼，这是通往学校的出口。
胖子！是你呀！你的朋友被囚禁了，快去救他。
他在哪里？

地宫！通道在另一侧，魍魉随时可能过来我先闪了！
我会在这里等你们。
哎！那个……
……
小胖子……小胖子……

我找到了一扇石门！
走啊！救小
神仙去！

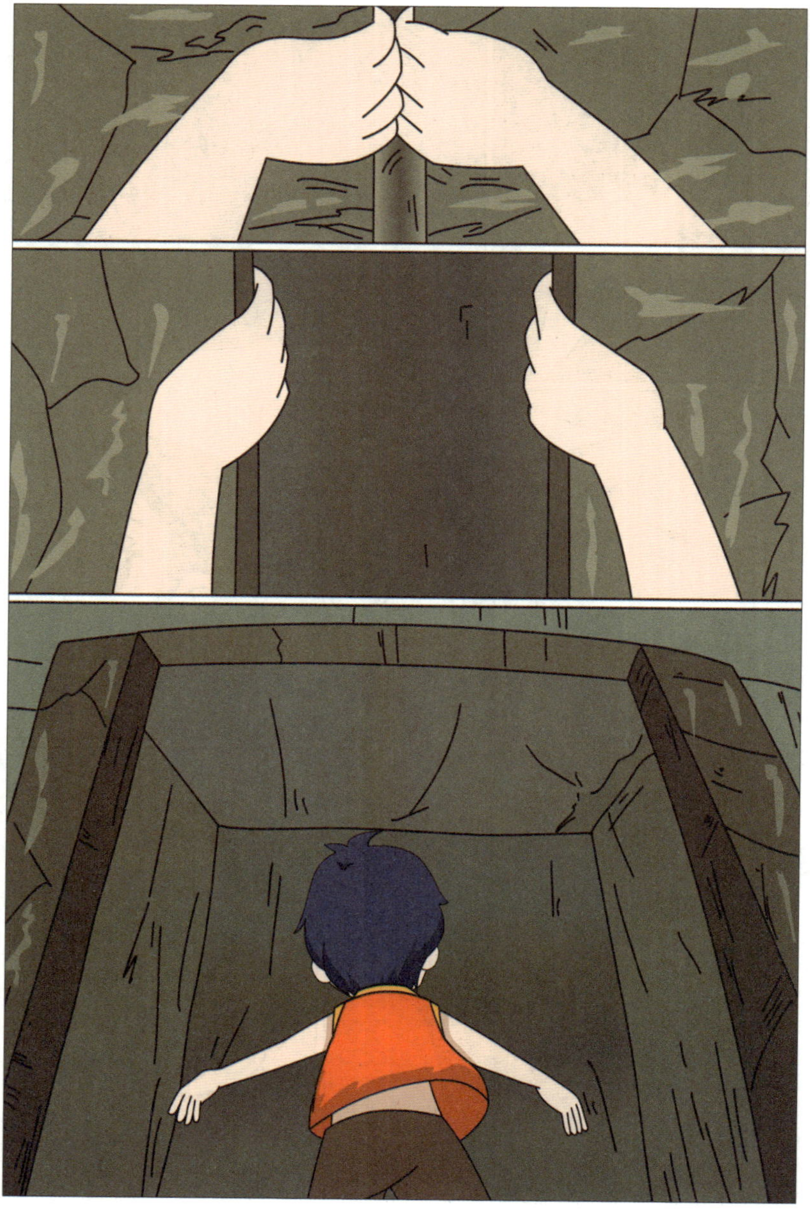

根本就没有路嘛……
最后一本书了！编剧能稍微靠点谱吗?!
哼，看把你能的！
哎呀，这电梯好破！
颠踢？那是啥？

难道这是电梯！
极有可能，我们进去吧。
Let’s go!
咔！

咯吱～
咯吱～
框！

哐啷
哐啷
大家小心！

嘭！

第三话 九龙阵（上）

哇！好漂亮啊。

!!!
你们快来看！这是什么？
啊，我恐高啊！这，这……平台怎么还在转！

那是……

怎么办？
怎么办……

什么？对称轴阵？
难道这是上古时期的对称轴阵？
你们看，我们所在的这个高台上伸出九个龙头。
这九龙头发出的光都组成对称图形，必须找出所有对称轴，并沿着对称轴将图形划破！

我们必须快点破阵，留给我们的时间不多了。
布慧庞站在1号位，易佰分站在7号位，姚爱国站在4号位。
看，是等边三角形！
我学过，我学过，等边三角形每条边的高线、中线和角平分线相互重合，它一共有3条对称轴！

你不仅能吃，还挺聪明，我喜欢！

哼，小菜一碟！

唉，只有用这个了。
咚

慧庞！你千万不要再胖了！

破阵成功平台也会向下移动，你们一定要站稳！
正五边形！5条对称轴！
等等！

哼哈哈！
小菜一碟！

哎呀，怎么回事！

我们在平台上不容易直观地看出图形的形状。
这是五边形，但不是正五边形。
它只有一条对称轴啊！
没关系，大家以后都看仔细些！

呼！
呼！
呼！

马上就要成功了。
胜利是属于我们的！

！！！
这是……
圆的对称轴就是直径，可是直径有无数条，该怎么表示？
轰！
！！

诸爷爷，怎么办呀！
我也不知道啊！但能别叫我猪爷爷吗？！

第四话 危机四伏

你们都醒醒！
快醒醒。

诸响亮，诸响亮，快醒醒！
放开我啊！我要吃东西！好饿啊！
怎么会这样！放开我！
我可是力之元神附体，怎么会挣不开这绳子！

别白费力气了！这绳子已被我封印了法力，物理攻击无效哦！

李老师！
我是暗之元神——魍魉！同时作为你们的数学老师，我还要告诉你们。
哈哈，不对。小朋友。
更可惜的是，九个龙头之间无论怎么连线，都不可能经过圆心，所以这就是一个无解的阵！
圆有无数条对称轴，每一条都经过圆心哦！

温柔善良的李老师，真的是魍魉……
李……李老师，原来……我最最喜……欢的
哈哈哈，善良温柔?!
当然！比起贪婪残忍的人类！
我的数学课代表，做的不错哟！

易佰分！你这个叛徒！
遭了！不是风后！是雷神附身！
不会的！易佰分一定是被迫的！

小梦！
小梦！
小梦，是我啊！
虽然我的法力所剩不多，但密语传音还是可以的！

现在我们该怎么办?
易佰分定是因嫉恨心起，被雷神钻了空子，助增内心邪气，才会这样。你必须尽快引易佰分到我这来!
好!!!

易佰分，这些都是你的好朋友，去问候问候他们吧！
好的。

我的确要感谢大家对我的嘲讽和怀疑！姚爱国！你样样不如我！凭什么你是班长！
告诉你！班长是我的！美琪也是我的！
班长不一定是成绩最好的！但一定是最有责任感的！

哦！美琪，我的公主，离开这些笨蛋吧，我们一起归顺魍魉大人！
你这个恶魔！我就算死也不会归顺你们的！
大人，没有什么可说的了！
慧之元神，别装死了，快点告诉我复活蚩尤大人的方法！
否则……

呜呜……虽然我也不会答应，但易佰分你就不能也问问我吗？
等等！易佰分！我有办法让美琪答应你！
不要啊小梦！
不要啊，小梦。求求你！

你过来，我悄悄告诉你。
这群熊孩子戏份怎么这么足！
哼！好啊，夏小梦，你还敢嘲笑我！待会有你好看！

停！我受够了！回到重点！慧之元神！若你不告诉我复活蚩尤的方法！
咚！

我就让你看着这些孩子一个个死去！
不
要
啊！

风神装！

风神比雷神好像更加帅气，对吧，美琪。
喂！你这个书呆子！快把我放下！
刚才发生了什么？怎么这么吵呀？

第五话 九龙阵（下）

让我们回到刚才……
善良的孩子，
相信信仰的力量！

回到现实！
怎么回事！雷神呢！雷神去哪里了！
喏，在这里。
魍魉，投降吧！

抓住他们，
快！抓住他们！

我可是力神附体！

出口就是那石门。你们快过去。
没时间了，我们快点离开这里！
这影怪没完没了，不打败魍魉……
不可能彻底消灭的！咦哈！

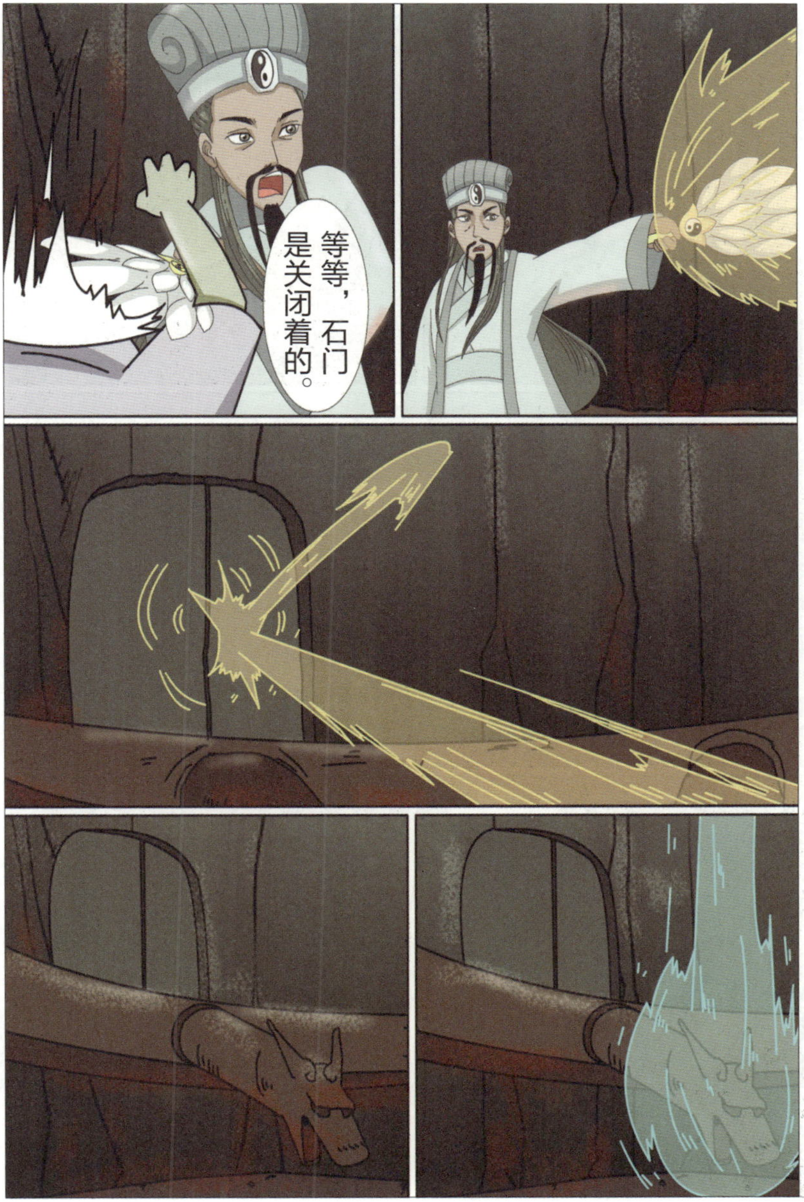
等等，石门是关闭着的。

奇怪，这次为什么只有一束光呢？
?!?
啊，光照到我这里来了！
不过，我身后的这个龙头还真的是丑萌丑萌的！

慧神！这棋盘，刚好是9x9的，你注意到没！
9x9 的棋盘便是一个对称型的九九乘法表，每一个格分别代表 1-9 的九个数字。

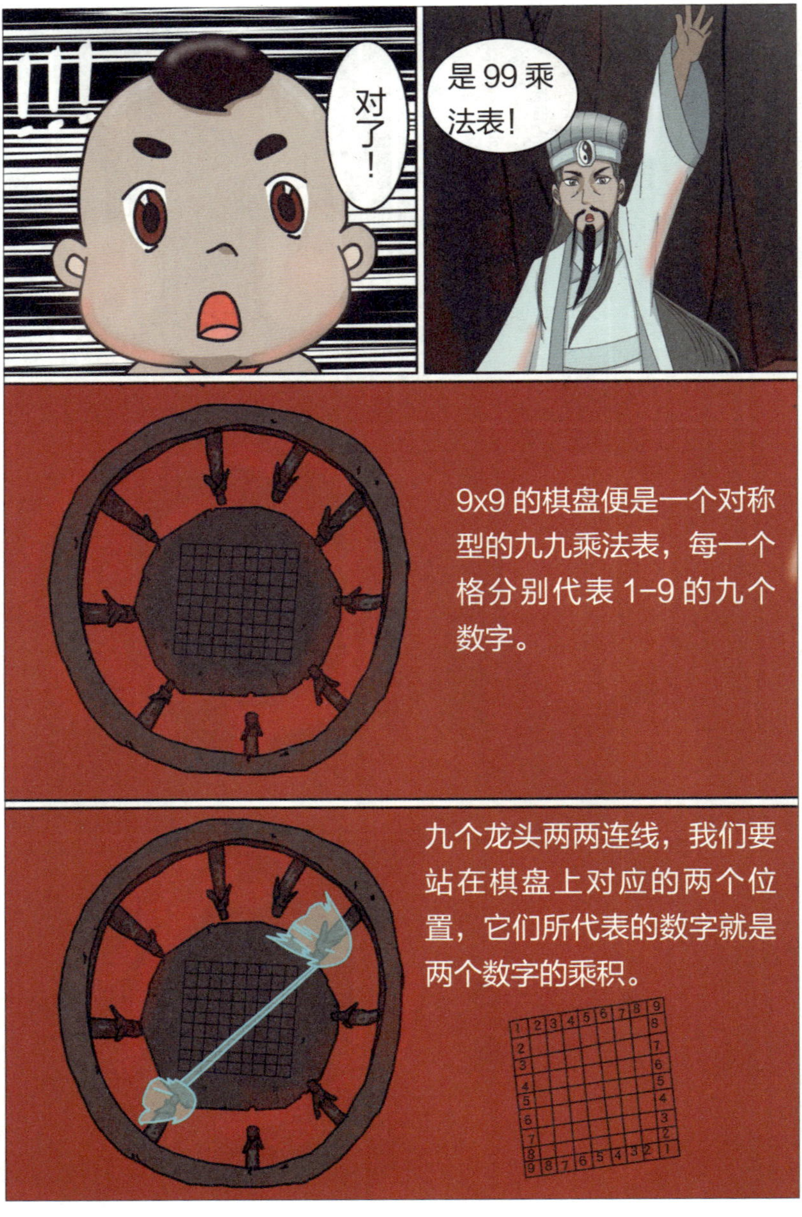
对了！
是 99 乘法表！
9x9 的棋盘便是一个对称型的九九乘法表，每一个格分别代表 1-9 的九个数字。
九个龙头两两连线，我们要站在棋盘上对应的两个位置，它们所代表的数字就是两个数字的乘积。

咦！光不见了！
不好！一组数字未破解，龙头要一点点归回原位！石门也会距离我们越来越远！

哈哈哈，这九龙阵中的最后一关，你们可休想轻易破解，还是乖乖束手就擒吧！
快看，又一束光线出现了！
我飞到半空观察！

「2」和「9」
布慧庞，姚爱国，快跑到2列9行和9行2列的棋格中！
交给我吧！

你走开！
你走开！

嗯，好吃，好吃，当食神真好！

2乘9等于18，
果然是九九乘法表。
九九
乘法表
这层层机关难道就是传说中蚩尤的算盘：秘之罗盘的力量？
老头，那可是我破碎的一块壳啊……
快，这次是3和7！

好的！
40
24

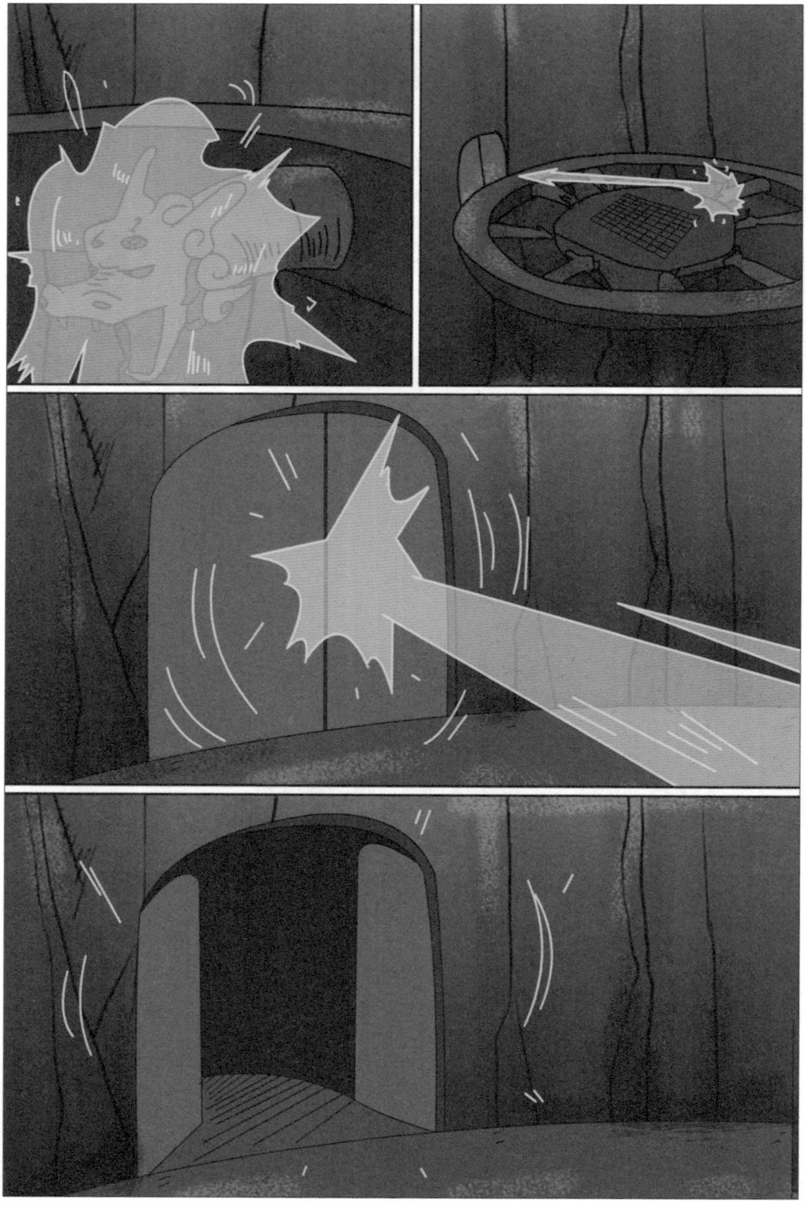

快，快进到里面去！
休想！

束手就擒吧！恶魔！
不好！

趁现在!

啊！
哼，小子，想跟我斗？下辈子吧！

咚
快跑啊！快跑啊！

风力合一，无人能敌！
终极奥义之陀螺重炮！

哼！不知好歹的家伙！

喂！停下！这样会伤着大家！
来不及了！从后方攻击！

硬化
魍魉，
吃我这拳！

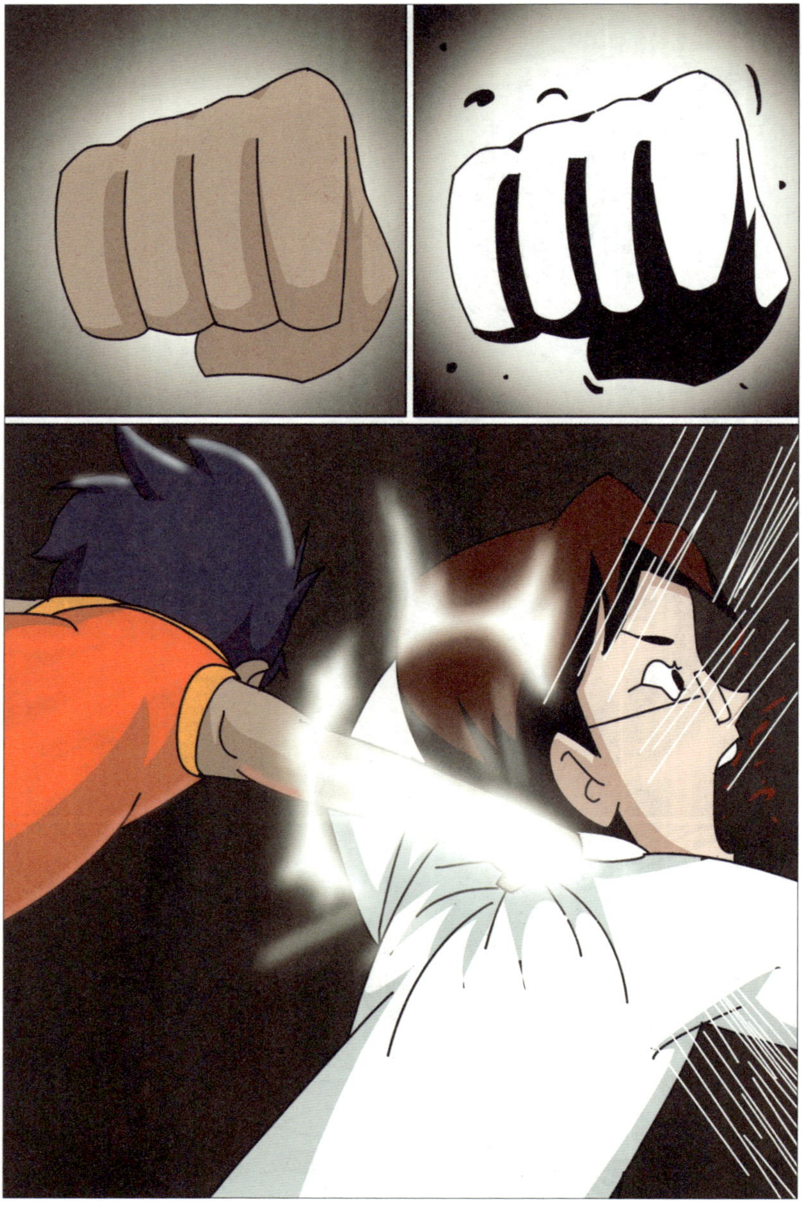

我们快离开这里！

第六话 暴走的魍魉

轰
轰
轰
~
轰~
轰~
轰~
哐啷！！

魍魉要复活蚩尤，想必蚩尤还有残存的精魄，我们必须销毁这些精魄。
那台阶蹊跷的很，如果那上面只有一堵石壁，

我们再仔细查看一下，时间不多了！
那为什么要修台阶呢？

快来看啊！这里有密码！

3+4=0，4+5=
111302154/9，31102564
7+6=1，11+10=
哈哈，又是解密码呗！4+5=9 呗！

嗯！不行，不能这么冲动！
呼~
3+4 为什么等于 0 呢？
难道是找规律？3、4，4、5，0、1！
3+4=0，4+5=□
是日历！

一周7天，以7为一个周期！那星期四+星期五就是星期二！
没错，星期三+星期四是星期天，用0表示。
4+5=
2
星期？你们说是就是吧！
111302154
9
这是分数，意思是 111302154 除以 9。
我的家庭教师教过我。

但第二个数是整数诶，长得完全不一样。
个十百千万十万百万千万亿……亿后面是啥来着？
111302154
9
重点是下面的 9！你们将 111302154 加起来呢。
1+1+3+0+2+1+5+4
=?
等于 18！
9 能整除 18！

31102564？
9
所以 9 能整除 111302154，在个位添加什么数才能让 9 整除呢?
31102564 这些数字的和加起来是 22,9 能整除 27！
2564
所以个位上的数字是 5！
9 真是个神奇的数字呢！
九龙头、九九乘法表，还有这个！
咦? 这一组和第一组长得好像 ......
7+6=1，1+10=
是钟表！以 12 为一个周期！所以 11+10=21，恩……周期是 12，那密码是 9！

如果你采用 24 小时制，21 点就是晚上 9 点，根本不用算。
21:00
轰轰轰

哇！这个叔叔肌肉好发达！

蚩尤！
哼！别挡我们！
嗞！
哎等等……

噢，不！

啊！我要和你们同归于尽！

弟弟！
啪！

去死吧！

啃
啃
啃！
我怎么啃不动呢？

魍魉，你的计划失败了，杀了我们也于事无补！
恶魔！你快放了小神仙！
那我也要你们！
陪葬！

第七话
一线生机

魍魉
哥哥！
魍魉哥哥！
这声音……

难道是……
雪薇！

放手吧！哥哥！

我一直在你看不到的地方看着哥哥呢！
雪薇！这么多年了你在哪里！
这些善良可爱的孩子们难道不和小澈一样吗？
不！他们是人类！
小澈……

我要解救我们的同类！
夺走我们家园！滥杀无辜的人类！
现在的你，和滥杀无辜的人又有什么区别？
放下仇恨才能解救你自己。
孩子们是无辜的啊！

我要让这世界没有砍伐和杀戮，让我们平等自由地活着……
雪薇，对不起，我曾答应过你们。

不要背负那么多责任，太累了……
这些都不重要了，我只希望哥哥能快乐！
嘭！

不好，城堡快要塌了！
去镜子那里！

大家快跑啊！

咻！

李老师……
小梦，快走啊！来不及了！

咦？门是打开的？
轰轰轰
轰隆！

小梦和易佰分呢?!
我去找他们!

你伤势严重！我去！
呜呜呜
易佰分！小梦！
呜呜呜呜……
呜……

易佰分！
我还以为你们……

怎么会呢，我可是神！
校长！

哈哈哈哈，我说过的嘛！
我会在胜利的彼岸等着你们的！
……　……
这就是你作为守护神将的作用吗？！

编剧你出来！

不带这么玩儿的！
风华小学

第八话 回家

风华小学

不，你现在带我去公园的河边。
你挺住！我马上带你回家！
我快被打回原形了，
为什么！爸妈现在很担心你！
为了保住我体内的慧之元神，我必须回到水里。

张老太婆点名让我节后讲……
拉
讲刘备和猪猪亮的故事。
什么猪猪亮？是诸响亮！
话题转移得漂亮！
你这孩子老没大没小的！
什么张老太婆，要叫张老师！
怪我咯。

弟弟……

哎呀，河妖弟弟，快醒醒！
不对，河妖！
又看到启明星了呀。
小梦
小天是时候了，该做回真正的自己了。

不是说好你养好伤就……
什么意思！
一旦我脱离原来的宿主，就需进入封印阶段，这个阶段少则数年，多则数百年，再见了，小梦。

喂，河妖！
你回来啊！

我保证以后再也不欺负你了，
我……
再……再也不抢你的鸡腿，自己写作业……
呜呜呜呜

姐……姐……姐

哼！我就知道！
你是想让我给你买鸡腿，才吓我的！
啊……姐……
啊唔……

弟弟乖，我们回家。